Zulfiya Jiyemuratova (Ed.)

Bárkamal áwlad qarlıǵashları

AF135589

Zulfiya Jiyemuratova (Ed.)

Bárkamal áwlad qarlıǵashları

Qosıqiy jıynaq

JustFiction Edition

Imprint
Any brand names and product names mentioned in this book are
subject to trademark, brand or patent protection and are trademarks
or registered trademarks of their respective holders. The use of brand
names, product names, common names, trade names, product
descriptions etc. even without a particular marking in this work is in no
way to be construed to mean that such names may be regarded as
unrestricted in respect of trademark and brand protection legislation
and could thus be used by anyone.

Cover image: www.ingimage.com

Publisher:
JustFiction! Edition
is a trademark of
Dodo Books Indian Ocean Ltd. and OmniScriptum S.R.L publishing group

120 High Road, East Finchley, London, N2 9ED, United Kingdom
Str. Armeneasca 28/1, office 1, Chisinau MD-2012, Republic of
Moldova, Europe
Managing Directors: Ieva Konstantinova, Victoria Ursu
info@omniscriptum.com

Printed at: see last page
ISBN: 978-620-0-10731-2

BARKAMAL AVLOD QALDIRG'OCHLARI

She'riy to'lam

To'garak rahbari: Jiyemuratova Zulfiya

Redaktor: Mamadaliyeva Nargizabonu

2025

Men ushın qádirli bolǵan dóretiwshi oqıwshılarım!

Sizlerdiń hár birińiz qálbinde arzıwı, janarında úmiti, isenimi bar, qólında bolsa qálem uslaǵan bárkamal áwlad jetkinsheklerisiz.

Sizlerdiń qolıńızdan shıqqan ózbek hám qalaqalpaq tillerindegi úshinshi "Bárkamal áwlad qarlıǵashları" qosıqlar jáne de gúrrińler toplamın bir kitapqa jámlep redaktorlaw men ushın úlken jetiskenlik, quwanısh jane zawıqlı jumıs boldı.

Hár bir qatarda júregińizdiń dúrsili, dúnya qarasıńısdıń sheksizligi, ilham qanatıńızdıń párwazı, arzıwlarıńızdıń ármanlarıńız tárepke talpınısı bar.

Bul kitap—sizlerdiń dóretiwshilikke bolǵan úshinshi qádemińiz, qálbińizden tógilgen gózzal sezimtallıq penen jazılǵan sóz marǵanlarıńız dep bilemen.

Bul dóretpelerińiz arqalı siz óz ishki álemińizdi, watanǵa,ata-anaǵa, tábiyatqa, ómirge bolǵan mehir muxabbatıńızdı súwretlep jazǵansız.

Men sizlerdiń ustazıńız sıpatında, bul kitaptı redaktorlawda miynetim sińeninen quwanaman álbette. Hár birińiz menıń maqtanıshımsiz. Sizler menen islesiw, izleniw,úyretiw, dóretiwshiligińizge guwa bolıw, pikirlerińizge qanat baǵıshlaw men ushın - shın baxıt.

Keleshekte kim bolıwıńızdan qáttiy názer, búgin qılıp atırǵan izleniwshiligińiz, jazǵan dáslepki qosıq, gúrrińlerińiz sizlerdi jarqın maqsetlerińiz tárepke jetekleydi.

Sizler ele jas bolsańız da, kewlińizdegi miyrim, kózlerińizdegi úmit, qaǵazǵa tókken sózlerińizdegi shın ıqlas, keleshekte qanday ájayıp insanlar, shayırlar, ustazlar, shıpakerler, injenerler, belgili maman bolıp jetisiwińizdi állaqashan kórsetip bermekte.

Sizlerge dóretiwshiligińiz dawamlı bolıwın, ilim jolında tereń bilim alıwıńızdı, iyelegen kásibińizdiń jetik mamanı bolıwıńızdı shın júregimnen tilep qalaman.

Hár qanday jetiskenliktiń gilti-miynette, izleniwde, sadıqlıqta. Solay eken, hesh qashan arzıwlarıńızdan alıslamań, kishkenéǵana qálbińizdegi shashıraǵan úmit ushqının asırap, bárha alǵa qaray talpınıń!

Kirapta baspadan shıqqan bul dóretpelerińiz sizler ushın keleshek jolıńızdıń baslanıw qádemi bolsın. Nár birińizge ómir jollarıńızda áwmet, quwanish, ziyreklik, tapqırlıq, bilim tilep qalaman.

Jarqın keleshekke bekkem qádemler taslań!

Men sizlerge isenemen hám tilegińizde jaqsı niyetler qılip jasayman.

Kitap eń jaqın ajıralmas dostıńız bolsın!

Jiyemuratova Zulfiya Reypnazarovna,

"Bárkamal áwlad balalar mektebi",

"Jas qálemkeshler" dógeregi jetekshisi ustaz,

shayır.

QUSLAR QAYTQANDA

Bir kúni Muslima sabaqtan qaytıp kiyatırıp qońsısınıń diywalınıń qasında tıpırshılap jatırǵan qarlıǵash palapanına kózi tústi. Ol palapan temir qanat bólǵan bolsa da, ele usha almaydı eken. Palapannıń ayaǵı qırshılǵan, tıpırshılay bergennen be, ádewir qanap qalıptı. Muslimanıń reymi kelip onı qolına aldı da úyindegi, aldın jumsaq oyınshıqların salıp oynaytuǵın maqpal menen qaplanǵan qutıshaǵa saldı. Muslimanıń bir jerine jara shıqsa anası hárdayım súrtetuǵın mazınan alıp, palapannıń ayaǵına jaǵıp, tańıp bayladı. Ol biraz tınıshlanıp uyıqlapta aldı.

Biraq kesh túsiwden shırıldap qarnı ash bolǵanın bildirip basladı. Muslima endi neqılsın...?!

Maydalap jibitip nan berip kórdi, dán berip kórdi. Biraq ol tumsıǵın da sozbadı. Ne islewin bilmey albıraǵan Muslima dostı Aysulıwdıń úyinde qarlıǵashlar bar ekeni yadına túsip júgiriwi menen solay qaray ketti.

Aysulıw onıń keliwin kútip turǵanday, sırtta tur eken.

— Aysulıw men búgin ayaǵı jaraqatlanǵan bir qarlıǵashtı tawıp aldım, - dedi Muslima entigip. Jarasına dári jaqtim da biraq oǵan ne tamaq beriwdi bilmey atırman, - dep járdemge mútáj kózleri menen tigildi.

Aysulıw da gáp nede ekenin túsindi de:

— Júr, bizıń háwlimizdegi qaldırǵash palapanların azıqlandırıp atır, onıń ne ákelip jegizip atırǵanın kórsek boldı.

Senıń palapanıńa da sol tamaqtı ákelip beremiz,- dedi.

4

Bul sózden Muslimanıń kewli tınıshlanayın dedi hám ekewi bir shette qarlıǵashlardıń háreketin gúzetip basladı.

— Shegirtke...!

Ol shegirtke akelip berip atır.

Aysulıw bir jańalıq tapqanday quwanıp qıshqırıp jiberdi.

Olar birge atız shetindegi salma boyına barıp, shigirtke, qurt, qumırısqa uslap palapannıń janina qoydı.

Palapan aqslańlaǵan ayaǵın súyrep olar bergen azıqtı shoqıp basladı.

Aradan bir háptedey waqıt ótti. Palapannıń ayaǵı jaqsı bolıp qalǵan edi.

Adam bolsın, jánzat bolsın, haywan bolsın óz anasısız jasay almaytuǵının bilgen Muslima Aysulıwdı janına alıp, palapandı qońsısınıń úyine in qurǵan qarlıǵash palapanlarına aparıp qosıp keldi.

Aradan bir jıl ótti. Báhár keldi.

Azanda oqıwǵa ketip baratırǵan Muslima in quratuǵın jer izlep júrgen qarlıǵashqa kózi tústi. Ol quwanıp ketti. Sebebi ol ótken jılı ózi baǵıp qaraǵan qarlıǵashı ekenin ish-ishinen kewli tanıdı.   Quslar da dán jegen jerin tárk etpes eken dá, dep Muslima bul waqıyanı doslarına aytıw ushın júgirip ketti.

Aminov Shoxruh

NAVOIY VORISLARI

Yuraklardan dur sochamiz,
Ilm bilan yoʻl ochamiz.
Haq soʻzidan quvvat olib,
Kelajakni charogʻlaymiz.

Sheʼriyatning gulshanida,
Mehr atalmish bogʻida,
Adolat va mehr qumsab,
Yozamiz biz har bobida.

Ilm-u hunar merosimiz,
Navoiydek niyatimiz.
Haq yoʻlida xizmat qilib,
Yaxshilikni taratamiz.

Ustoz izin qidirarmiz,
Unutilmas satr yozib,
Navoiyning izdoshlari,
Haq soʻzidan voz kechmasin.

Haqiqatin kuylayverib,
Yuksaklarga yoʻl ochamiz.
Navoiydek biz ham xalqning,
Dildan dardini yozamiz.

Allanazarova Shaxlo

NAVRO'Z

O'lkamga kirib kelding,
Bahor bilan Navro'z oy,
Boshlarida gulchambar,
Qizlar ochdi gulchiroy.

Hamma xursand Navro'zda,
Bayram qilar odamlar,
Yashnab turar saylgoh,
Unutilmas bu onlar.

Kiyadi milliy kiyim,
Yarashadi o'yinlar,
Bizga kelgan mehmonlar,
Zavqlanib qarashar.

Navro'z kelsa bolalar,
Varraklarni uchirar,
Xafa bo'lgan insonlar,
Arazini o'chirar.

Aytbayeva Intizor

MENING MAKTABIM

Xayrlashib ketyapmiz sendan,
Quchog'ingga talpindik har dam,
Issiq joysan hammamiz sevgan,
Sog'inamiz seni maktabim.

Qani edi vaqt ortga qaytsa,
Qo'ng'irog'ing sadosi chiqsa,
Ustozimiz sabog'in aytsa,
Yugurardim senga maktabim.

Yig'layman shu she'rni yozib,
Sendan oldim ruhiy oziq,
Sensiz ko'nglim bo'ldi-da nozik,
Sog'inamiz seni maktabim.

Tarqab ketdik ta'tilda har yon,
Borgim kelar men o'zing tomon,
Yasholmayman o'zingsiz bir on,
Sog'inamiz seni maktabim.

Amangeldiyev Mansurbek

TABIATNI ASRAYLIK

Bag'ri dilim ochilar tongda,
Ko'rsam agar chiroyli gulni,
Ammo nedir qalbni ezar,
Xira qilar quvongan dilni.

Ko'chalarga axlat tashlangan,
Chekkalarda yotadi to'lib,
Buncha befarq odamlar bugun—
Befarq o'tib ketadi ko'rib.

Tabiatni "ona" dermiz biz,
Onasini kim xo'rlar shuncha?
Axir iflos qilmaydi bunday
Uyasini hatto musicha.

Bu tabiat—ulug'dir har dam,
Hammasidan ustun quyganmiz.
Farzand bersin onaga yordam
Go'zallikni jondan suyganmiz.

Adilbayev Oʻktam

NAVOIY — ULUGʻ SIYMO

Navoiydir eng ulugʻ zot,
Kitobidir men uchun boylik,
U—buyukdir izlagan ilm,
Bu olamdan qidirmas boylik.

Menga yoqar yorugʻ siymosi,
Oʻxshar koʻngli nurli oftobga,
Havas ila armonim bordir,
Men ham qolay deyman kitobda.

Hayot uchun saboqdir soʻzi,
Yiqilganga u boʻlgan najot,
Maʼno teran, oʻtkirdir koʻzi,
Maqsadimiz u kabi boʻlmoq.

U—sheʼriyat sultoni buyuk,
Xamsasini qoldirdi bizga.
Buyuk ajdod - faxrimizdir,
Merosini surtamiz koʻzga.

Amangeldiyeva Sevara

ONA

Ba'zan yuragimga to'lganda dardlar,

Suhbatingiz istab, mushtoqman, ona,

Yosh bilan ko'zimga to'lsa alamlar,

Sizning mehringizga muhtojman, ona.

Duo qiling, so'rab bardosh va sabr,

Bu yurak o'zingsiz yasholmas, ona,

To'qqiz oy qornida ko'tarib meni,

O'zgalar siz bo'lib qucholmas, ona.

Qayg'uga botsam men, ko'nglingiz noxush,

Ko'zingiz aslo nur sochmaydi, ona,

Onalar hech qachon bo'lmasin kasal,

Onasiz qiz qanday yashaydi, ona.

Baxtimni tilaysiz doim erta-kech,

Qalbimni quyoshi kunimsiz, ona,

Qiyosingiz topmadim yerdan,

Eng chiroyli gulimsiz, ona.

Adilbayev Amirxan

SINGLIM HAQIDA SHE'R

Uyimizning farishtasi,

Oilamizning oppoq'oyi,

Sho'xlik qilib, hech tinmagan,

Dadam, oyim erkatoyi.

Ko'p o'jarlik qilsang ham,

Seni yaxshi ko'ramiz,

Qo'g'irchoqdek avaylab,

Biz ko'tarib yuramiz.

Kiyimlari orasta,

Qiliqlari kulguli,

Doim tinib-tinchimas,

Odobli va zehnli.

Bir akam bor va singlim,

Ikkisi ham qadrli,

Ular bilan o'ynasam,

Yashash bo'lar zavqli.

Bahadirova Malika

JAQSILIQ

Bir bar eken, bir joq eken. Ótken zamanda, úlken toǵay tamanda kóp haywanlar jasaydı eken. Sol haywanlar jasaytuǵın toǵay ishinen shıńǵırıp shıqqan dawıs esitilipti. Onıń janınan ótip baratırǵan qasqır pil balasınıń shuńqırǵa túsip ketkenin kóredi. Qasqırdı kórgen pil balası quwanıp oǵan tumsıǵın sozıp endi meni tartıp alar-aw dep turǵanda qasqir jardem bermey janınan párwayı-pálek ótip ketipti. Kún batıp qarańǵı túskende jaqın jerden ótip baratırǵan eki jirafa pildiń balasın uzın moyınların sozıp tartıp shıǵarıp alıptı.

Kúnlerdiń birinde bul qayǵılı waqıya qasqırdıń eki balasınıń basına da túsipti.

Olar jan aybat penen tıpırshılap shuńqirdı tırnasa da onnan shıǵıwı ańsat bolmasın bilip dawısınıń barınsha ulıy baslaptı. Sol jerden bolsa pil balasın eritip ótip baratır eken. Olar dawıs shıqqan jerge barıp qarasa sol qasqırdıń balaları járdem sorap telmirip turǵanın kóripti. Pil dárhal olarǵa járdem beriw ushın tumsıǵın soza bergeni de sol, pil balası ótkendegi waqıya esine túsip anasına,

-Bul qasqırlardıń anası meniń járdemge mútáj halımdı kórip turıp taslap ketti.

Endi bizlerde bularǵa járdem beriwge májbúr emespiz depti.

Sonda pildiń anası bılay depti.

-Balam, jaqsılıq hámme waqıtta da islegen adamıńnan qaytpasa da basqa birewden qaytadı.

Sol ushın jaqsılıq qılıwǵa imkanıń bolǵanda onı isle.

Jaqsılıqtı dushpanǵa qılsań dostıńa aylanadı, dostıńa qılsań eń qımbatlı qanlasıńa aylanadı-depti.

Solay etip shuńqırdan qutqarılǵan qasqır balaları óle-ólgenshe óz toǵayınan ań awlamaytuǵın, pil balalarına azar bermeytuǵın toǵay turǵınlarına aylanıptı.

ONAJONLAR BAYRAMI

Bayramingiz muborak,

Mehribonim onajon,

Tun uyqusin to'rt bo'lgan,

Farishtadek onajon.

Sog'lig'imdan qayg'urgan,

Jondan kechgan meni deb,

Xato qilsam kechirib,

Kuyib yongan meni deb.

Xursand qilsam onamni,

Quvonaman o'zim ham,

U kulganda shodlanib,

Dildan chiqar so'zim ham.

BAHOR

Ko'ngillarni yashnatar bahor,
Dilga shodlik ulashar bir bor.
Qushlar sayrar — aytgandek qo'shiq,
Chug'urlashar, buyurib diydor.

Chehralarda sho'x kulgu porlar,
Insonlar bor sahardan bedor.
Ko'ngillar shod, boladay quvnab,
Shabbodasi o'zgacha yoqar.

Bu yer yashil libos kiygandek,
Bormi shodon — bobo dehqondek?
Hatto chumoli mehnat qiladi,
Bahor qisqaligin bilgandek.

Bayramlar ko'p bahor faslida,
Navro'z ayyom — zo'r kun aslida.
Sumalakning ta'mini tatib,
Qo'shiq aytar qozon boshida.

Jangabayev Zohidjon

VATANIM—OLTIN BESHIGIM

"Jannatiy makon" deb seni atashgan,

Ko'kdagi quyosh ham sevib nur sochgan,

Sendayin topmadim mehr ulashgan,

Oltin beshigimsan sen menga, Vatan.

Bu yurtda sotqinmas mardlar yashashgan,

Har ishda engilmas yurt deb kurashgan,

Senda yashab, saboq oldi adashgan,

Oltin beshigimsan sen menga, Vatan.

Buyuk kelajakka orzu bor senda,

Katta qadamlarga imkon bor senda,

Bobom orzu qilgan zamon bor senda,

Oltin beshigimsan sen menga, Vatan.

Har bir davringga bir tarix yozildi,

Qonimga singdirib tanib o'zimni,

Ishonib aytolaman men shu so'zimni,

Oltin beshigimsan sen menga, Vatan.

Qancha ming ajdodlar ko'milgan tuproq,

Men sendan kecholmam senda bor qudrat,

Jonimdan ortiqroq sevaman ko'proq,

Oltin beshigimsan sen menga, Vatan.

Borliging uchun men shukur aytaman,

Sendan uzoqlasam, darrov qaytaman,

Vatan, ostonangni ko'zga surtaman,

O'zingdan begona qilmasin, Vatan.

Oltin beshigimsan sen menga, Vatan.

Jalgashbayeva Bahoroy Azatovna

BUVIMNI SOG'INIB

Balki sog'inch, balki bu dardmi?!
Tushlarimga kiradi nogoh,
Ongimda u so'zlar ohista,
—Bolaginam, bo'linglar ogoh.

Uyqudaman singib havoga,
Men buvimni topmay qolaman,
Rasmiga ohista qarab,
Sog'inchimni doston qilaman.

Sog'indim rost, yuzlaringizni,
Chaqnab turgan ko'zlaringizni,
Lekin hozir tushunolmayman,
Tushda aytgan so'zlaringizni.

Balki mendan xavotir olib,
Sog'lig'imni qayg'urdingizmi?
Balki ba'zida qumsar so'zingiz,
Sog'inganim siz sezdingizmi?

Buvijonim, xavotir olmang,
Biz yaxshimiz, yuribmiz shodon,
Lekin sizning xotirangizni,
Unutmadik hali ham bir on.

Jalgashov Xusan

OTA-ONAM BORIMSIZ

Doim mening yonimdasiz.
Sirdoshim, ham yagonamsiz,
Baxt iqbolim tilagan,
Ota-onam borlig'imsiz.

Onam, mening jannatimsiz,
Otam, mening qanotimsiz,
To'g'rilikni o'rgatgan,
Ota-onam borlig'imsiz.

Tiz cho'kaman poyiga,
Qaray ko'ngil-ko'yiga,
Ko'nligimning to'rida,
Mehmon bo'lib qolganimsiz.

Ko'tarayin boshimga,
Yuzga yetgan yoshida,
Bo'lay o'zim qoshida,
Ota-onam borlig'imsiz.

Kalmuratova Madina

ISTAK

Ota-onam uzoqda,
Shunga xafa bo'laman,
Men ularni sog'indim,
Qanday xursand yuraman.

Ular yiroq bizlardan,
Yetolmayman ko'rishga,
Masofa juda olis,
U shaharga borishga.

Issiq-sovuq demaydi,
Onam tinim bilmaydi,
Bizlar uchun tun-u kun,
Dadam bilan ishlaydi.

Ustim butun, qornim to'q,
Lekin ko'nglim yarim-da,
Sog'indik biz sizlarni,
Ko'rishaylik yaqinda.

Kalbayeva Dinara

KIMIM BOR, ONA

Ba'zan xafa kunim bor, ona,
Dardlashgani tunim bor, ona,
Mehribonim bu dunyolarda—
Sizdan ulug' kimim bor, ona?!

Sabrimni ko'p sinaydi kimlar,
Oqibatni bilmaydi kimlar,
Do'stingman deb tunaydi kimlar,
Sizdan boshqa kimim bor, ona?!

G'am-g'ussalar eggan-da boshim,
To'lib ketsa dilda bardoshim,
Sirdoshimsiz, yolg'iz sirdoshim,
Berar sizday mehrin kim, ona?!

G'urbatlari jonimga tashna,
Yolg'onlari qonimga tashna,
Bir siz axir dardimga davo,
Sizdan bo'lak kimim bor, ona?!

Jannatimsiz, to'rt tomonim siz,

Soniyam siz, lahza onim siz,

Jonim ichra tanho jonim siz,

Sizday yagona kimim bor, ona?!

Toki men ham sizni deb yashay,

Diydoringiz ko'rmoqqa shoshay,

Poyingizga jonimni to'shay,

Sizday go'zal kimim bor, ona?!

Tengelbayeva Zarina

BAHOR

Men bahorni kutaman,
Kutganday yer oftobni,
Men bahorni sevaman,
Gullar burkar atrofni.

Qushlar uchar osmonda,
Bulbul sayrar daraxtda,
Ko'tarilar ko'ngillar,
Unga yetmoq ham baxtda.

Qir-dalalar yashnagay,
Ko'zni quvontirar gullar,
Yam-yashil bo'lar bog'lar,
Quvnab ketadi dillar.

Bayramlar ko'p bo'ladi,
Dil shodlikga to'ladi,
Hovlimizda chug'urlab,
Qaldirg'och in quradi.

Turg'anbayev Bunyodbek

ORZU SARI

Intiling har doim bardam,

Yordam berar kitob va qalam,

Qadam tashlang kelajak sari,

Qo'lingizda turibdi bari.

Yiqildingmi turgin shu zahot,

Oldingizda sinov va saboq,

Yomon yo'ldan yursangiz biroq,

Sizni kutar qopqon va tuzoq.

Shuning uchun shoshilmang aslo,

Sekin boshlang har ishni illo,

Intilinglar orzular sari,

Va muhayyo bo'ladi bari.

Sattarbergenov Rahil

BOBOJONIM

Siz borsizki, onam bordir,

Keldim yorug' olamga,

Mehringizning poyoni yo'q,

Quloq soling nolamga.

Bobojonim, sog'inaman,

Yo'qotdim men izingiz,

Xotiramda saqlanadi,

Aytgan har bir so'zingiz.

　***

DADAJONIM

Mening tengsiz boyligim,

Sizni yaxshi ko'raman,

Baxtimga siz sog' bo'ling.

Katta bo'lsam bo'laman,

Sizdek yaxshi bir odam,

Suyanganim o'zingiz,

Panohim, tog'im, dadam.

DAFTARDAGI SO'Z

Ko'zlaringda yulduzlar, osmonning siri,
Har bir qarashingda dunyo yangilanar,
Bu quvonch yurakda, so'zsiz shivir, un,
U bilan har kunim yangi bir bahor,
Shu sabab yaralgay yangi bir asar.

Quyosh botganida uyg'onib armon,
Dunyo barcha rangda go'zal ko'rinar,
Tabassuming bilan yo'qolib dardim,
Yuragim intizor bir seni izlar.
Har nafas his etdim seni hayotim.

Tungi osmonni sevdim, u ko'zlaringdir,
Kulgiching yoritar dil qorang'usin,
Barcha orzularim qidirar tinmay,
Go'yo izlaganday aziz narsasin,
Bu go'zallikni qalb, jondan asrasin.

Sabr va sadoqat har damda madad,

Bosgan qadamlarda yangi orzu bor,

Har tong ishonch to'la, men uzatgan gul,

Lekin murakkablik bunda cho'zilar,

Yana kashf etilar imkon, yangi yo'l.

Yuragimdan har so'z senga yozilgan,

Isming duo qilay yillar o'tsa ham,

Sen bilan kuchliroq, sen bilan ozod,

Yerga soya tushmas, quyosh botsa ham,

Demak kelajakka biz uchar qanot.

Jengisova Shahlo

SABOQ

Bir bor ekan, bir yo'q ekan, qadim o'rmonlarning birida sho'x quyon bilan jahldor bo'ri yashagan ekan. Quyon har kuni bo'rining eshigini taqillatib, qochib ketar, bo'rini rosa jig'iga tegarmish.

Bir kuni bo'ri chiday olmay, eshigi oldidagi daraxt orqasiga yashirinibdi. Quyon esa yana odatdagidek kelib, eshikni taraqlatib, tepgan zahoti... bo'ri uni tutib olibdi! U quyonni daraxtga bog'lab, o'tin terishga tushibdi.

Qo'rqib ketgan quyon yig'lab kechirim so'rabdi:

— Iltimos, meni qo'yib yubor, endi bunaqa qilmiman! – deb iltijo qilgan ekan.

Lekin bo'ri unga quloq solmay, ishini davom ettiraveribdi.

Shunda quyon yordam so'rab baqira boshlabdi. Qani endi kimdir eshitsa!

To'satdan tulki paydo bo'libdi. U ham bo'riga qo'shilib, quyonni pishirib yeyish niyatida sheriklikka kiribdi.

Ammo... shu payt, o'rmon hukmdori – sher kelib qolibdi!

— Men yordam so'ragan quyonning ovozini eshitdim. U qani? – deb g'azab bilan so'rabdi.

Bo'ri bilan tulki quyonni daraxt barglari bilan bekitib, yashirmoqchi bo'lishibdi. Lekin... bu voqeani boshidan kuzatib turgan sichqon inidan sakrab chiqib:

— U yerda! – deb quyonni ko'rsatib beribdi.

Bo'ri bilan tulki qo'rqib qochib qolishibdi. Sher sichqonga:

— Mardliging uchun rahmat! – deb minnatdorchilik bildiribdi.

29

So'ngra quyon bilan mehr bilan gaplashibdi:

— Endi boshqa birovlarning tinchini buzma. Aks holda, bu senga saboq bo'ladi, tushundingmi?

Quyon bosh irg'ab:

— Tushundim. Endi faqat yaxshilik qilaman, – deb sher bilan birga yurishga ruxsat so'rabdi.

Shunday qilib, sher bilan quyon birga o'rmon tinchligi uchun kurashib, adolatli va do'stona hayot kechira boshlabdi. Ular o'rmonning haqiqiy "Tinchlik va Adolat Qirollari"ga aylanishibdi.

Ten'elbayev Akmal

ONAJON

Mehringizning cheksiz, tengi yo'q,
Yuragimdan o'chmaydi shundoq,
Osoyishta bag'ringiz biram,
Unutaman men uni qandoq?!

Tunda bedor menga tikilib,
Og'rig'imni sezgan insonsiz,
Jajji dunyoyim panohi sizsiz,
Unda yashar jannat timsolsiz.

Kulganingiz bahor gulidek,
Yig'lasangiz yurakka darddir,
Soyangizda ulg'aydim mana,
Sizni baxtli qilishim shartdir.

Sabog'ingiz yo'limga chiroq,
Nasihatingiz belga quvvat,
Ulg'aysam men duoyingiz bilan,
Munosib bir bo'lgayman farzand.

Onajonim, mehringiz tengsiz,
Hech narsaga alishib bo'lmas,
Hayotimda siz ulug' kuchim,
Sizsiz mening omadim kulmas.

Farrux Yuldashev

ANAJANIMA

Janı awırǵanın bildirmes anam,
Kúlgishine jasırar dártin,
Bárin meniń janım sezedi,
Túsinbeydi biygana hár kim.

Ara uzaq barayın dese,
Ata-ana saǵınıshı qıynar,
Solay da bir kórgisi kelip,
Ósken jerin, awılın oylar.

Táshwishler hesh pitpeydi eken,
Járdem beriw qolımnan kelmes,
Barlıǵına shıdaǵan anam,
Bizler ushın hesh jaqqa ketpes.

Bilmey qalıp awırtsam kewlin,
Ókinemen aytqan sózime,
Bul qosıqtı sizge arnadım,
Shadlıq kirsin anam júzine.

Pirbayeva Indira

ILTIJO

Qish kelishi bilan havo sovib, osmonni qora bulutlar qoplab, oppoq qor yog'a boshlabdi. Tog'lar boshiga yog'ayotgan qor parchasini qattiq esgan shamol aylantirib-aylantirib bir qishloqning chekkasidagi olma, o'rikli bog' ichidagi daraxtlar shoxiga qo'ndiribdi.

Yerni birinchi marta tomosha qilayotgan qor parcha, shamolda daraxtdan eshitilayotgan ovozga quloq solibdi. U ovoz bahor haqida kuy taratar edi. Hamma narsaga qiziquvchan qor parcha sekin daraxtdan so'rabdi.

— Daraxtjon, siz kuylayotgan qo'shiq nima haqida -debdi.

Chuqur o'yga tolgan daraxt javob bera boshlabdi.

— Bahor u go'zal farishtaga o'xshaydi. Har yilning boshida u olamni yangilab, yashartirib kirib keladi. U kelsa erga yashil baxmal gilam to'shaladi. Bog'larda oppoq gullar ochiladi. Kuzda issiq o'lkalarga uchib ketgan qushlar o'z uyalariga qaytib kelishadi. Uyquga ketgan butun olam u kelishi bilan uyg'onadi. Har xil rangli kapalaklar bir kun yashasa ham bu baxtdan mast bo'lishadi.

Qor parcha bu kapalakka juda havasi kelibdi. Bir kun yashasa ham u mendan ko'ra baxtliroq ekan sababi u bahorni ko'ra oladi deb o'ylabdi qor parcha.

— U hayolidagi so'zlarni ovoz chiqarib aytibdi. Uni eshitgan daraxt...

— Nima sen bahorni ko'rishni istaysanmi? — deb so'rabdi.

— Qani buning iloji bo'lsa...

Qor parchaning bu armonini eshitgan daraxt unga yordam bermoqchi bo'libdi va unga quyosh chiqqan mahal ilohiy tog'dagi orzularni ro'yobga aylantiradigan farishtaning oldiga borib chin dildan bu istagini aytishini tayinlabdi.

Qor parcha daraxt aytganidek bor istagini, armonini chin dildan niyat qilibdi.

Daraxt qor parchasining kelgusi taqdiri haqida xayol surib tursa, endi kurtak ochib kelayotgan bitta bargiga qoʻngan chiroyli kapalakka koʻzi tushibdi.

— Salom, qadrdon daraxt!

— Salom, sen kimsan??

— Men oʻsha qor parchasiman, mana koʻrib turganingdek men kapalakka aylandim.

Daraxt kapalakning chehrasida baxtiyorligini koʻrib xursand boʻlib undan soʻrabdi

— Judayam chiroyli boʻlib ketibsan baxtliliging koʻrinib turibdi. Bahorni uchratganingdan baxtlimisan,- deb soʻrabdi daraxt kapalakka aylangan qor parchasidan.

— Ha men bahorni koʻrdim, u judayam chiroyli. U bosib oʻtgan erda yashil maysalar, boychechaklar oʻsar ekan. Uning iliq shabadasi esgan bogʻlarda oppoq qor rangidek gullar ochilar ekan.

— Afsus, men bu goʻzallikni oxirigacha kuzata olmayman. Men sen boʻlgim kelayapti, daraxtjon,— deb kapalak yerga yiqilibdi. Uning koʻzlaridan tomgan tomchi yosh yerga singibdi-yu, oʻsha joydan kichkina nihol oʻsa boshlabdi. Kapalakning jismi va ruhi shu niholning ildizlariga singibdi-da, kapalakka aylangan qor parchasi daraxtga aylanib har yili bahorni kutib olib, kuzatib qoʻyadigan boʻlibdi.

Ametova Dildora

VATAN

O'zbekiston, u qanday diyor?

Bayrog'ida yetti xil rangi,

Tafti — onam bag'ridek iliq,

Menimcha, u Vatandir mangu.

Dadam aytar: Sehrli diyor",

Oyim deydi: "Mehrli zamin",

Buvim esa: "Tinchgina uyim",

Men o'ylayman: "Vatanim onam".

BOBUR BOBOMIZ

Urushlarda yovlarni —

Yengib chiqqan bobomiz.

Hind tomonga yo'l ochib,

Davlat qurgan bobomiz.

Ko'p o'ylaymiz ularni,

She'r yozganlar yurakdan.

G'azallarni qoldirib,

Nom taratgan el ichra.

Muratbayev Jahongir

ANAM

Ol dúnyada bir dana,
Der anasın hár bala,
Meniń ushın miyriban,
Sizsiz ey, aziz ana.

Eger qáte qılsam men,
Keshirgensiz anajan,
Hámmesine kóz jumıp,
Meni súygen miyriban.

Bolıp qalsaq biz kesel,
Basımızda párwana,
Bizdi oylap túnleri,
Uyqısın tórt bólgen ana.

Bizler ushın juwırıp,
Dalada miynet qılar,
Biler bizge keregin,
Barlıǵın bárjay qılar.

Kerek bolsa biz ushın,

Janın beriwge tayyar,

Anajanım biz ushın,

Hámme nársege tayyar.

Anajanım biz ushın,

Kerek emes hesh nárse,

Eń úlken baxıtımız,

Awırmay júrıń tek te.

Mundarija:

24.	*Farrux Yuldashev*	32
25.	*Pirbayeva Indira*	33
26.	*Ametova Dildora*	35
27.	*Muratbayev Jahongir*	37

BARKAMAL AVLOD QALDIRG'OCHLARI

She'riy to'lam

To'garak rahbari: Jiyemuratova Zulfiya

Redaktor: Mamadaliyeva Nargizabonu

Dizaynerchilar: Mirakbarjon **Hasanov**,

Muslimabonu **Hasanova**

Sahifalovchilar: Fotimabonu **Xasanboyeva**,

Xusanboy **Xasanboyev**

Printed by Books on Demand GmbH, Norderstedt / Germany